שובל ממחזר

Schwebel Recycles

Yeshiva University Museum

Schwebel

A Stabilized Chaos Publication

P.O.B. 3595, Jerusalem 91035, Israel

Design: Schwebel

Translation: Adva Frank

Photography, graphics and production: Amar Michael

Printed by Z.Z. Print, Ltd. Tel-Aviv

May 2003

ISBN 965-90544-0-8

Printed in Israel

Acknowledgements

I want to thank two organizations for their financial support in the making of this catalogue: The Rich Foundation and the Merhav Group. It would never have occurred without them.

My friend and expert Michael Amar of the Jerusalem Photographic Studio once again was invaluable in all facets of production.

Of course the Northern Port engaging in their own recycling immediately recognized the significance of my efforts.
Orna Angel and Ran Wolfe - thanks!

The publicity is in the capable hands of Yael Lotan as always.

I thank myself for allowing the works within to survive for recycling and better days.

And finally my wife Adva, for her cooperation in editing and translation.

תודות

לקרן ריץ׳ וקבוצת מרחב, אשר בתמיכתם הכספית איפשרו את הוצאת הקטלוג.

לידידי מיכאל עמר מהסטודיו הירושלמי לצילום, אשר מומחיותו בכל היבטי ההפקה יקרה לי לאין ערוך.

תודה כמובן לאורנה אנג׳ל ורן וולף, העוסקים בפרוייקט המיחזור של נמל תל אביב, שהכירו מיד במשמעות מאמציי.

יחסי הציבור כרגיל בידיה האמונות של יעל לוטן - תודה!

אני מודה לעצמי, שנתתי לעבודות לשרוד לצורך מיחזור וימים טובים יותר.

ולבסוף, לאשתי אדוה, על שיתוף הפעולה בעריכה ותרגום.

Schwebel Recycles

Recycling as I see it is a way of being responsible for all the works I have done, at least for those that still hang around the studio, regardless of their date of birth, damage by mice or rot. There's something in them that asks to survive but in a superior way. It could be a figure begging for improvement or a color demanding more intensity like the pale greens of "Studio 1". For these works it seems there's no end to recycling. More extensive recycling occurs when parts of the painting appear intolerable or no longer useful. They are destroyed by the disc-sander (high speed sanding) and replaced by a new white ground. Sometimes the marks of the sander are left to show the work process. I'd rather have it this way than succumb entirely to illusion.

Every subject of mine is available for recycling, from Artist in Studio, the Judean hill where I have lived for 40 years, my affection for the muse and other guests, the city streets of Jerusalem, Tel Aviv or New York. I might even make composites of them, especially when recycling. A David and Batsheva painting was transformed into such a composite by the Warsaw Ghetto bridge representing the Shoah. I often yield to urgent subjects like the political-social forces that dominate this land. I cannot escape this, whether hopeful or stressful, on the rise or in decline. Sometimes spring flowers are juxtaposed as well, or a nude walking about, just to breathe. My models are only models, not portraits, even if they are mirror images or movie stars. They are given personalities of my choice.

I admit that a few paintings might have been better before recycling. I have no regrets. The comparisons between the old and new reproductions are often unfair because they are not of the same quality. Today's painting and the adventure portrayed is what counts. I hope the brief explanations under the pre-recycled work do this justice.

It's also significant that Tel Aviv's northern port, the host of this exhibition, is also recycling itself.

שובל ממחזר

לפי דעתי, מיחזור הוא ביטוי של אחריות שאני חש כלפי כל העבודות שלי, לפחות כלפי אלה שעדיין נמצאות בסטודיו, בלי קשר לתאריך הולדתן, או הנזק שנגרם להן על ידי עכברים או עובש. יש בהן משהו שמבקש לשרוד, אבל בדרך טובה יותר. לעתים זוהי דמות הזועקת לשיפור, ולעתים - צבע שמבקש העצמה, כמו הירוקים הבהירים מ"סטודיו 1". עם ציורים אלה, נראה שאפשרויות המיחזור הן אין-סופיות. מיחזור נרחב נוסף מתרחש כשחלקים מסוימים של הציור נראים לי בלתי נסבלים או לא שמישים. אני הורס אותם עם משחזת הדיסק (שיוף במהירות גבוהה) ושם במקומם בסיס חדש. לפעמים אני משאיר את סימני המשחזת כדי להראות את תהליך העבודה. אני מעדיף זאת מאשר להתמסר לאשליה לחלוטין.

כל נושא שעסקתי בו זמין למיחזור, החל מהאמן בסטודיו, הגבעה ביהודה בה אני חי בארבעים השנים האחרונות, חיבתי למוזה ואורחים אחרים, רחובות בירושלים, תל אביב או ניו-יורק. אני אפילו מפגיש ביניהם במהלך המיחזור. ציור על דוד ובת שבע עבר טרנספורמציה מסוג זה באמצעות חיבור עם הגשר שעובר מעל גטו וורשה, המייצג את השואה. לעתים קרובות אני מתמסר לנושאים דחופים, כמו הכוחות החברתיים-פוליטיים השולטים בארץ. איני יכול להימלט מכך, בין אם מדובר על תקווה או מצוקה, דכדוך או התרוממות רוח. לפעמים אני גם מצייר פרחים מנגד, או אישה עירומה מתהלכת, מה שמאפשר אויר לנשימה. המודלים שלי הם רק מודלים, לא פורטרטים, גם אם הם נרשמים מהראי או מצילומים של כוכבי קולנוע. אני נותן להם אופי כראות עיניי.

אני מודה, שמספר ציורים היו טובים יותר לפני המיחזור. אין בי חרטה. ההשוואה בין הגרסה המקורית לחדשה פעמים רבות אינה הוגנת, כי הצילומים אינם בעלי איכות אחידה. החשוב הוא הציור של היום וההרפתקה הכרוכה בתהליך עצמו. תקוותי היא , שההסברים הקצרים המלווים את העבודה בגרסתה הראשונה מהווים הסבר מספק.

העובדה שנמל צפון תל אביב, שבחסותו מתקיימת התערוכה, ממחזר את עצמו אף הוא, היא משמעותית.

Bauhaus Bliss

In 1984, the Kassit cafe on Dizengoff, I shaped our roles with movie stars. Tel Aviv seemed to demand that from me. The painting never sold perhaps because it was too yellow and the seated customers not up to standard.

In 2000, my disc-sander got rid of both. The lovers were not seriously altered when Bauhaus architecture took over the deleted space in glorious shades of light.

חסד הבאוהאוס

ב-1984 בכסית שברחוב דיזנגוף, תפקידינו עוצבו בדמות כוכבי קולנוע. נראה היה אז כי תל אביב דורשת זאת ממני. הציור מעולם לא נמכר, אולי כי היה צהוב מדי ויושבי הקפה לא היו ברורים מספיק.

בשנת 2000 משחזת הדיסק שלי התפטרה מהם. האוהבים לא עברו שינוי רציני, בעוד ארכיטקטורת הבאוהאוס החליפה את החלל הריק בגווני אור מרהיבים.

150x160 cm   Oil on canvas   2000

135x160   Oil on canvas   1984

Allenby Cinema

This part of Allenby was once most elegant. I used Marlene Dietrich to model and kept her going 18 years later for a new version, hoping to revive the cinema's popularity.

קולנוע אלנבי

חלק זה של רחוב אלנבי היה פעם מאוד אלגנטי. השתמשתי אז במרלן דיטריך כמודל, ושבתי אליה 18 שנים אחר כך לצורך גרסה חדשה, בתקווה להחיות את הפופולריות של הקולנוע.

100x116cm   Oil on canvas   2002

135x162 cm   Oil on canvas   1983

Kikar Magen David
This group is not about recycling but concerns the renewed use of this crucial piece of Tel Aviv
 where Allenby meets the Carmel Market, Nahlat Binyamin, Shenkin and King George. The
first usage was in 1983. Fred Astaire and Ginger Rogers danced for us joyfully.
I had fallen in love with the city, which even provided me with a place to paint.
Reproduced in "Tel Aviv, Tel Aviv", Modan 1986, and later in my own edition.

ככר מגן דוד
קבוצה זו אינה עוסקת במיחזור. כאן עשיתי שימוש חוזר בצומת הרחובות אלנבי, נחלת בנימין, שינקין,
קינג ג׳ורג׳ ושוק הכרמל.
ציירתי לראשונה קטע חשוב זה של תל אביב ב-1983. פרד אסטר וג׳ינג׳ר רוג׳רס רקדו לפנינו בעליצות.
התאהבתי בעיר, שאף סיפקה לי סטודיו לעבוד בו. הציור מופיע ב"תל אביב, תל אביב "(מודן 1986) ומאוחר
יותר במהדורה בהוצאה שלי.

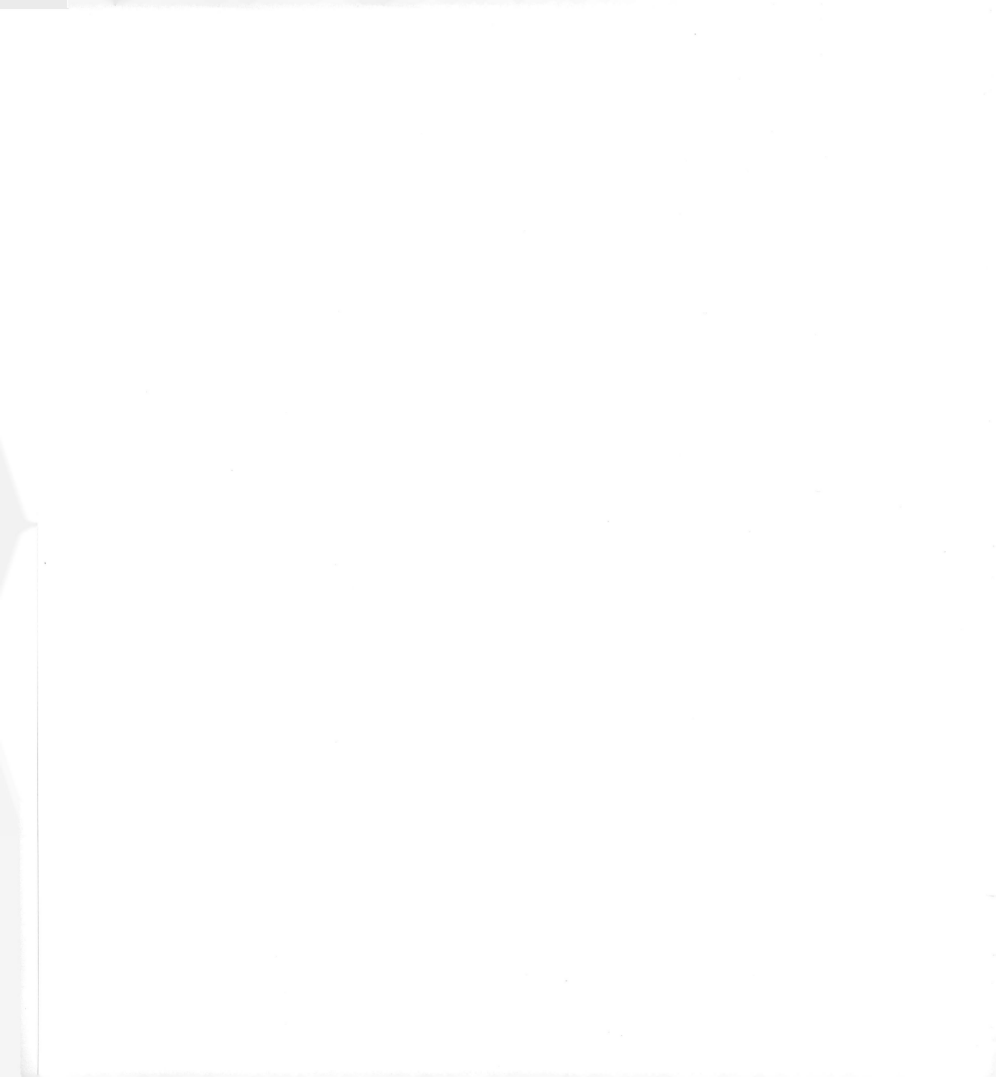

The Butcher Shop 1

This oil waited 19 years since 1984 for recycling. I launched an attack on the density of its color, reaching for inner light. The personalities are the same, including the portrait of Moishe Ben Shaul. The hanging meats are approaching something else. The original is reproduced in "Tel Aviv, Tel Aviv", Modan 1986, and later in my own edition.

האטליז 1

ציור זה חיכה תשע-עשרה שנים למיחזור, משנת 1984.

פתחתי במתקפה על עוצמת צבעיו בחיפוש אחר אור פנימי. הדמויות נשארו כשהיו ובכללן הדיוקן של משה בן שאול. הבשרים נדמים למשהו אחר. הציור המקורי מופיע ב-"תל-אביב, תל-אביב" (מודן 1986) ומאוחר יותר במהדורה בהוצאתי.

116x130 cm   Oil on canvas   2003

The Butcher Shop 2
Nineteen years had past before touching or even looking at this oil. It seemed crowded. I had picked the characters out of old cinema books and the smoked meats out of imagination.   Then, during a lightning storm in the winter of 2002, the women were changed and the paint, especially the lights from behind, were enriched.
The original is reproduced in "Tel Aviv, Tel Aviv", Modan 1986, and later in my own edition.

האטליז 2
תשע עשרה שנה חלפו עד שנגעתי או אף התבוננתי בציור זה. עתה הוא נראה לי דחוס מדי. את הדמויות בחרתי בזמנו מתוך ספרי קולנוע ישנים, ואילו הבשרים המעושנים הועלו מן הדמיון. פתאום, במהלך סערת ברקים בחורף 2002 הנשים התחלפו בעוד הצבעים, במיוחד הבהירים שמאחור, קיבלו נופך חדש.
הציור המקורי מופיע ב״תל-אביב, תל-אביב״ (מודן 1986) ומאוחר יותר במהדורה בהוצאתי.

116x130 cm   Oil on canvas   2002

The Seashore 1

I loved descending the hills for the seashore, seeking dragons in the waves. I had wanted to plant free standing paintings in the sea about the subject. This was in the late 70's. Instead, in 2003 a woman arrived in superb pose.

חוף הים 1

אהבתי לרדת מהגבעות אל הים, בחיפוש אחר דרקונים בין הגלים. רציתי לשתול ציורים על כך בתוך הים. זה היה בשנות ה-70 המאוחרות. במקום זאת ב-2003 הגיעה אישה בתנוחה מרהיבה.

70x100 cm   Oil on plywood   2003

The Seashore 2

Several versions of the painter at sea were done in the late 70's, to reflect my wall paintings
on the Hechal Hatarbut. (Filthy and covered with bat shit at the moment.)
In 2003, a squatting nude replaced the dragon, to the delight of the painter. The scaffold
was no longer needed.

חוף הים 2

בסוף שנות ה-70 ציירתי מספר גרסאות של הצייר בים, כהד לציורי הקיר שלי בהיכל התרבות
בתל אביב (ציורים המכוסים כיום בצואת עטלפים).
ב-2003 אישה עירומה כורעת החליפה את הדרקון, לשמחתו של הצייר. הפיגום לא היה נחוץ עוד.

70x100 cm   Oil on plywood   2003

Pregnant Woman

I don't know what this very expressive summer plant outside my studio is called.

I hoped the self-portrait would define it.

Two years after this, in 2002, a pregnant woman made clarification superfluous.

אישה הרה

איני יודע את שם הצמח מלא ההבעה הזה שצומח מחוץ לסטודיו שלי. קיוויתי שהפורטרט
העצמי יגדיר אותו.

שנתיים לאחר מכן, ב-2002, אישה הרה הפכה את הצורך בהגדרה למיותר.

81x92 cm   Oil on canvas   2002

Half Squatting

In 1986 the dragon dealer could also be a woman and the male just an onlooker.
In 2001, she does her thing from a half-squatting position, in graphite, while he
beholds the miracle.

חצי-כריעה

ב- 1986 הנושא ונותן עם דרקונים היה אישה, והגבר סתם צופה מן הצד.
ב-2001 היא עושה את שלה בחצי כריעה, רשומה בגרפיט, בעוד הוא מתבונן בהשתאות.

89x100 cm   Oil on canvas   2001

Judea Under a Black Sky
This hill, which I have looked upon for 40 years, glows with early summer grasses, even under a black sky.
The work was around for 6 years before the inadequate couple was replaced. Effects of the disc-sander are left visible.

יהודה תחת שמיים שחורים
הגבעה בה אני מתבונן מזה 40 שנה זוהרת בעשבי תחילת קיץ, אפילו תחת שמיים שחורים. הציור הסתובב במשך שש שנים עד שהחלפתי את הזוג, שלא התאים. האפקטים של משחזת הדיסק נותרו חשופים לעין.

127x96 cm   Oil on canvas 2002

The Pine Cone

The early 90's saw me go back and forth into elements of Judean flora and landscape. The work lacked significant content. It underwent the disc-sander seriously and then coated with new white ground.
At the end of the decade, it was recycled by the trunk of a Jerusalem pine and its cone.
A Giotto angel flies above.

האצטרובל

בתחילת שנות ה-90 שבתי לצייר אלמנטים של נוף וצמחייה ביהודה. במקור היה ציור זה חסר תוכן משמעותי. הוא עבר שיוף רציני וקיבל בסיס לבן חדש. בסוף העשור התמונה מוחזרה עם גזע של אורן ירושלים ואצטרובל.
מלאך של ג'יוטו מרחף מעל.

How can one feel a painting is sufficiently complete or there's no such thing!

28 Dec 97

see p. 1314 for an earlier stage. The difference is all too clear. The key one, not visible in the photo any too well, is a final over rubbing with graphite.* It breaks away from stiff paint finish which does not reflect the truth in full of my day.

The complication of the below — disc, razor edge, patches* — reflects this truth.

What of the Giotto angel from Padua and the floating head of the artist? Is it a best work or a surreal piece of caca? or simply part of the way, part of the day? I shall let it lie, it and my justification as well, for awhile.

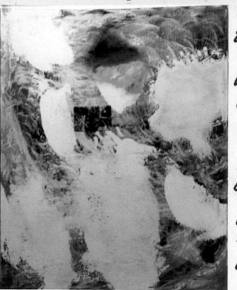

989 C 97   116 × 92
formerly 688 C 90, 92
on p. 1133 — except for remnants of color, total transformation including reversing up & down.

* note photo pasted on for modelling the tree trunk

: A pine cone too

116x100 cm   Oil on canvas 1998

Give Us A King

There are many versions of the Judean hill outside my studio. This one from the early 90's had its imperfections, which made it available for recycling by a favorite subject in the Book of Samuel, "Give Us A King". The people of this land disregarded Samuel's warnings against turning their agrarian culture into a kingdom. They shouted for a king!

In 1999, with the help of a disc-sander and a new ground, I placed three well-known political figures in the landscape to represent the people. The architecture above (Broadway around 73rd Street) hints at a sort of monumentality to come.

שימה לנו מלך

ציירתי צלע הר זו, המשקיפה על הסטודיו שלי, פעמים אין ספור. גירסה זאת היא משנות ה-90. הציור לקה בפגמים, דבר שהפך אותו מתאים למיחזור. חזרתי אליו עם נושא אהוב עלי מספר שמואל : ״שימה לנו מלך״. העם התעלם מאזהרת שמואל, שהתנגד להפיכת התרבות השבטית למשטר מלוכני. הם דרשו מלך, ומיד!

ב-1999, בעזרת משחזת הדיסק שלי ובסיס חדש , מיקמתי שלוש דמויות פוליטיות ידועות כנציגות העם. המבנה הארכיטקטוני המתנוסס מעל (ברודוויי באזור רחוב 73) מרמז על המונומנטליות של המעמד.

160x150 cm   Oil on canvas   1999

David and Saul

This Judean hillside was originally done in preparation for a commission of "Four Seasons"
in the Jerusalem Mall in Malha in the early 90's.

In a surge of new paintings about David in 1999, I recycled it for David secretly cutting off a
piece of Saul's robe while Saul was taking a leak in a cave. "I could have killed you", David
told him, "but I really love you".

Reproduced in "David's Journey", A Stabilized Chaos Publication, 2000

דוד ושאול

צלע-הר זו צוירה במקור כהכנה לעבודה " ארבע עונות ביהודה", שיועדה לקניון מלחה בירושלים,
בתחילת שנות ה-90.

ב-1999, תקופה שבה חזרתי לצייר את ספר שמואל , מיחזרתי את הציור ומיקמתי בו את דוד הגוזר
בחשאי את כנף מעילו של שאול , בעוד זה משתין במערה.

"יכולתי להרוג אותך" אומר דוד "אלמלא אהבתי אותך".

הציור מופיע ב"מסע דוד" (2000) בהוצאת Stabilized Chaos .

160x150 cm   Oil on canvas 1999

Shaul

In 1985 I searched for dragons on the way to Mt. Gilboa. The banana plant looked dragon-like
or a hard-to-see dragon.

In 1999, in need of a broader view of the Book of Samuel, I recycled, sacrificing the dragon plant
for the suicide of King Saul when mortally wounded in battle. He falls on his spear.

The reproduction appears in my book "David's Journey", A Stabilized Chaos Publication, 2000.

שאול

ב-1985 חיפשתי דרקונים בדרך להר הגלבוע. עץ הבננה נראה כדרקון.

ב-1999 מתוך התעמקות בספר שמואל, מיחזרתי את הציור והחלפתי את צמח-הדרקון

במלך שאול, המתאבד בעקבות פציעה אנושה בקרב.

הציור מופיע ב״מסע דוד״ (2000) בהוצאת Stabilized Chaos .

92x116 cm   Oil on canvas   1999

David and Abishag

The pre-recycled 1985 painting had the artist at play with a dragon, comfortably in the studio
with what looks like a Judean sea outside. I modeled the man after the drunken Charlie Chaplin
from "One A.M.".
In 1990 he was transformed into the old King David asleep when the young beauty Abishag peering
in from the far right could not arouse him. Jaffa Road is now the background.

דוד ואבישג

בציור המקורי מ-1985, האמן בסטודיו משחק בנחת עם דרקון, כשמהחלון נשקף מה שנראה כמו ים בנוף
יהודה. צ'רלי צ'פלין השיכור מהסרט "אחת אחר חצות" משמש מודל לדמותי.
ב-1999 , הגבר השוכב הפך לדוד הזקן בשנתו. אבישג הצעירה והיפה מביטה פנימה ולא יכולה לעורר אותו..
רחוב יפו נמצא עתה ברקע.

89x100 cm   Oil on canvas 1990

The Bronx Hero 1
My baseball playing was mostly on the street with a rubber ball and a stick.
In 1982 I saw the scene as being monumental, which didn't disturb the dragon overhead.
At the end of the 90's I brought the painting back from New York and subsequently
recycled most of the space for plants of the Judean hillside.

גיבור הברונקס 1
כילד שיחקתי בייסבול בעיקר ברחוב, בין המכוניות, עם כדור גומי ומקל.
ב-1982 ראיתי סצנה זו כמונומנטלית, דבר שלא הפריע לדרקון שמעל.
בסוף שנות ה-90 הבאתי את הציור מניו-יורק ובהמשך החלפתי את רוב
השטח בצמחיה של הרי יהודה.

130x162 cm Oil on canvas   2000

The Bronx Hero 2

From a Bronx sewer the dragon arose, witnessed by the stick ball hitter. The 1982 painting remained as is until it arrived in Judea in the late 90's. Soon local plants sprung on to the street and a dark cloud descended to bring rain. The dragon went away.

גיבור הברונקס 2

שחקן הבייסבול-רחוב צופה בדרקון העולה מתוך פתח ביוב ברחוב בברונקס. הציור, שצויר בשנת 1982, נותר כפי שהוא עד שהגיע ליהודה בסוף שנות ה-90. במהרה התחילו לצמוח בו צמחים מקומיים וענן גשם כבד ירד על הרחוב. הדרקון הסתלק.

140x160 cm   Oil on canvas   2000 , 2003

Artist in Studio 1

In the early 70's I invited friends such as Velasquez and Picasso to my studio.
I wanted to be a part of the classics, albeit shaded by humor.
In 2002 and 2003, intensity of pale greens and the aged painter on the left transformed the spirit of the painting.

האמן בסטודיו 1

בשנות ה-70 הזמנתי לסטודיו ידידים כמו וולסקז ופיקאסו. אמנם עם שמץ הומור, השתוקקתי להשתייך לציירים הקלאסיים, ב-2000 ו-2003 האינטנסיביות של הירוקים החיוורים והצייר המזדקן בצד שמאל שינו את רוח הציור.

89x100 cm   Oil on canvas   2003

Artist in Studio 2

In 1969 I brought friends to my studio: a Velasquez gentleman and Uri Lifshitz. They reduced my isolation. Of course, the artist had his muse. A color version does not exist.
In 2002, I eliminated everything except stage center, the handsome nude, and laid claim to more subtle contrasts and calm.

האמן בסטודיו 2

ב-1969 הזמנתי ידידים לסטודיו: אורי ליפשיץ ואדון אחד מתוך ציור של וולסקז. הם הפיגו את תחושות הבידוד שחשתי. כמובן, היתה לאמן גם מוזה. מציור זה נותר רק תצלום שחור-לבן.
ב-2002 מחקתי הכל והשארתי רק את מרכז הבמה ואת הדמות העירומה היפה וביקשתי ניגודים דקים יותר ושלווה.

89x100   Oil on canvas   2002

Artist in Studio 3

Clearly work in the studio and being conscious of it on canvas was the principal subject
of the 60's and early 70's. Some of these were removed from their stretchers and rolled up.
The quality of paint was questionable.
After a passage of some 30 years, they cried out mainly for intensity of the paint, something
I was not always aware of then. Picasso used the terms "specific attributes" for such recycling.

האמן בסטודיו 3

בשנות ה-60 וה-70 הנושא העיקרי היה עבודתי בסטודיו והמודעות אליה על הבד. מספר ציורים מקבוצה זו
הוסרו מהמסגרות. איכות הצבע עמדה בספק.
30 שנה אחר כך, הציור זעק בעיקר להעצמת צבעיו, דבר שלא הייתי מודע לו אז. פיקאסו קרא לשינויים
מסוג זה "מאפיינים ספציפיים".

100x89 cm Oil on canvas 2003

Artist in Studio 4

In the early 70's with quixotic ideas for reflecting life in the studio, I invited Manet and Goya and others, some no longer recognizable.

In 2002, I cleared that up with a handsome nude, expressive light and an orange color that can awaken the dead.

האמן בסטודיו 4

בתחילת שנות ה-70, עשיתי ניסיונות אותם אני מכנה "דון-קישוטיים" כדי לתאר את מה שקורה לי בסטודיו.

הזמנתי את מאנה, גויה ואחרים שכבר לא ניתן לזהותם.

ב-2002 עשיתי סדר, מחקתי חלק והוספתי דמות יפה בעירום, אור אקספרסיבי וכתום שיכול לעורר מתים.

81x100 cm   Oil on canvas   2002

Artist in Studio 5

What saves other works of the late 60's from being recycled is simply the fact that they were sold. The new one in 2003 eliminated what I felt to be obscure, its meaning forgotten. Now there are fresh greens coming into the studio and the spirit of the painter changed. The tone of the woman matches everything else.

האמן בסטודיו 5

הסיבה שלא מיחזרתי את שאר הציורים משנות ה-60 היא פשוטה: הם נמכרו.
ב-2003 מחקתי מציור זה את מה שנראה לי עמום, או שמשמעותו נשכחה.
עתה מגיעים ירוקים טריים לסטודיו ומצב רוחו של הצייר השתנה. הגוון של האישה
מתאים עכשיו לכל השאר.

81x100 cm   Oil on canvas   2003

Late Summer

The starving Kurds dominated TV news in 1991. Saddam was on our minds and in our sky.
I did many paintings on that subject that no longer exist, except those of the "sealed room",
which the clientele of a Jerusalem cafe recently rejected.
Six years later, I was into late summer evenings in Judea. Heavy recycling with the disc
sander and new ground left only the survival of the viewer's head.

שלהי קיץ
תמונות של כורדים גוועים ברעב מילאו את מסכי הטלוויזיה בחדשות של 1991. סדאם היה במחשבותינו
ובשמיים שלנו. ציורים רבים שציירתי בנושא זה כבר לא קיימים, מחוץ לציורי "החדר האטום". אלה נתלו
לאחרונה בבית קפה ירושלמי ונדחו לאלתר על ידי יושביו.
שש שנים מאוחר יותר ציירתי את ערבי שלהי הקיץ ביהודה. שייפתי את רוב הציור ומהגרסה הקודמת
שרדו רק ראשי הצופים.

150x160 cm   Oil on canvas   1997

Total Recycling
In 1989 a Jerusalem pine became a dragon. Waters flew gently by into an imaginary regal city. A woman bathed.
Ten years later the pine was replaced by moments of a stark Judean hill near Nataf.
In 2002, I was consumed by the "situation". The murdered of our times lay on the hillside.
Does it matter that these dead were modeled after Warsaw Ghetto dead?

מיחזור מלא
ב-1989 הפכתי עץ אורן לדרקון. מים זורמים ברכות אל תוך עיר מלכותית דמיונית. אישה רוחצת.
עשר שנים לאחר מכן הוחלף האורן בגבעה עירומה, הנמצאת ליד נטף. ב-2002 ה״מצב״ השתלט עלי.
הנרצחים של ימינו מוטלים לצדי הגבעה. האם זה משנה שהם צוירו בדמות המתים של גטו ורשה?

130x146 cm   Oil on canvas   2002

The Hate Syndrome 1

In 1987 I suffered a terrible rash. and hoped dialogue with a dragon would cure it.

In 2001 I recycled everything except the painter. "Hate", sadly a central force of this land, became the subject.

סינדרום השנאה 1

ב-1987 סבלתי מפריחה נוראה. קיוויתי שדיאלוג עם דרקון ירפא אותי. ב-2001 מחקתי הכל חוץ מהצייר. ״שנאה״, שלצערי הייתה לכוח מניע בארץ הזאת, הפכה לנושא.

117x81 cmn   Oil on canvas   2001

Hate 2

This was and still is about impotent peace negotiations. The original - 1991.

In 2000, hate was added to make the results more predictable.

שנאה 2

ציור זה היה ועודנו עוסק במשא ומתן העקר לשלום. המקור - משנת 1991.

ב-2000, נוספה שנאה כדי להפוך את התוצאות ליותר צפויות.

100x150 cm   Oil on canvas   2000

The Deportation Train
In 1981 I returned to the Bronx to work this street, Gates Place, along with the stick-ball hero I wanted to become and a pair of lovers.
In 1992, the place was recycled by my work on the Shoah. A Deportation Train encases all. I knew nothing of those horrors as a child.

רכבת המוות
ב-1981 שבתי לברונקס כדי לעבוד על הרחוב הזה, גייטס פלייס, ועל שחקן הבייסבול-רחוב, אותו גיבור מיתולוגי שרציתי להיות, בחברת זוג אוהבים.
ב-1993 מיחזרתי את הציור באמצעות עבודתי על השואה.
רכבת המוות עוטפת את הכל. כילד, לא ידעתי דבר על הזוועות.

130x162 cm   Oil on canvas   1992

Jaffa Road and the Old City.
In the early 80's I painted from Jerusalem roofs over Jaffa Street across from the Old City.
David peers at Batsheva above.
Ten years later I removed all but the building for work on the Shoah. Now the bridge between
Warsaw's little and big ghetto, over the crossroads of Zelanza and Chlodna Streets where Jews
were brutalized in 1941, is placed on top of the Jerusalem scene.

רחוב יפו והעיר העתיקה
בתחילת שנות ה-80 ציירתי ברחוב יפו, על גגות בניינים הצופים אל העיר העתיקה. דוד מתבונן בבת-שבע מעל.
עשר שנים מאוחר יותר מחקתי הכל חוץ מהבניין, כדי לעבוד על נושא השואה.
הגשר בין הגטו הקטן והגטו הגדול של וורשה, מעל צומת הרחובות זלנזה וחלודנה, בו הוכו יהודים ב-1941,
ממוקם כעת מעל הזירה הירושלמית.

146x162 cm   Oil on canvas   1992

The first Hebrew Port was constructed in 1936, on the background of bloody riots, from the virginal beach in the border between the young city of Tel-Aviv and the Mediterranean. The white sand that meets the waves of the sea were the canvas on which the passionate Jewish laborers created: little by little there were a bridge, an anchorage, a quay - a port - a gate for goods and for people to enter.

The creation of the port was a symbol for man overpowering nature, and for the ability to civilize and industrialize the wild ocean. The iron bars and the constructions made of wood and cement "grew" out of the soft sand and the stiff rocks, in the background of the wavelets on the water, and became the pride and joy of the Jewish population of Mandatory Palestine.

Since 1965, the port of Tel-Aviv is no longer active, and its ships wondered to the ports of Ashdod and Haifa. During the following years, nature overpowered man's deed. The effect of the sea, the winds and the salt started to show on the constructions that once served the active port, and made the site look old and worn out. At that time, the port hosted a variety of businesses, and lost its original authentic look.

Since the year 2000, the port is going through a process of regeneration. The historic port is presently being "recycled" - redesigned, while retaining its uniqueness and authenticity. In the same manner that Schwebel is recycling his beloved works, we too wish to maintain traces of the "grindstone" which creates a renewed base, without erasing the signs of time of the site. Our vision is to create a focus of various activities: leisure, entertainment, culture, sports, music, shopping, flavors and art, which will make the port into a place of continuing serenity and fun - a refuge from the city's din, every day, all day long.

Marine Trust Ltd.

חוף הים הבתולי, בגבול שבין העיר הצעירה, תל-אביב, ובין הים התיכון, הצמיח בשנת 1936, על רקע מהומות דמים ואלימות, את הנמל העברי הראשון. החול הלבן הפוגש את מי הים היה ל"בד הציור" של הפועלים העבריים הנלהבים: טפח ועוד טפח הפכו לגשר, למעגן, למזח - לנמל - שער לסחורות ולעולים.

הקמת הנמל הייתה לסמל של התגברות האדם ופועלו על איתני הטבע, ולהצלחה "לתרבת" ולתעש את ים הפרא. מוטות הברזל ומבני העץ והמלט "צמחו" בתוך החול הרך, בקושי הסלעים וברקע קצף הגלים, והפכו לשכיית החמדה של היישוב היהודי בארץ.

בשנת 1965 הפסיק נמל תל-אביב לשמש כנמל פעיל, והאוניות נדדו ממנו אל נמלי אשדוד וחיפה. בימים שבאו אחר-כך הכריעו כוחות הטבע את מעשה האדם. הים, הרוחות והמלח החלו נותנים אותותיהם במבנים, שבעבר שימשו את הנמל והזקינו את המתחם, שאיבד מייחודו והפך אכסניה לבתי-עסק שונים.

מאז שנת 2000 החלו מנשבות בנמל רוחות חדשות. בעיצומם של ימים אלה עובר נמל תל-אביב ההיסטורי תהליך של "מיחזור" - עיצוב מחדש, תוך שמירה על הייחוד והאותנטיות שלו. כשם ששוובל ממחזר את עבודותיו האהובות, כך גם אנו מבקשים להשאיר את רישומי ה"משחזת", היוצרת בסיס חדש, מבלי למחות את סימני הזמן מהאתר. חזוננו הוא ליצור במתחם אכסניה למגוון פעילויות - פנאי, בילוי, תרבות, ספורט, מוסיקה, קניות, אוכל ויצירה, אשר יהפכו את הנמל למקום של הנאה ורוגע מתמשכים, מפלט מהמולת הכרך, בכל שעות היממה ובכל ימות השנה.

חברת "אוצר מפעלי-ים בע"מ"